UNE
ABBAYE

AU TÉLÉOBJECTIF

Texte original de J. Rutland et adaptation française de S. Lecomte
Illustrations de J. Thorne, M. Kelly, R. Hook,
C. Shearing, J. Berry et C. Tora

LES ÉDITIONS ÉCOLE ACTIVE / ÉDITIONS GAMMA
2244, RUE ROUEN, MONTRÉAL H2K 1L5

Origine des illustrations
Pages de garde, Sonia Halliday et Laura
Lushington ; p. 6, Robert Harding Associates ;
p. 7, Giraudon ; p. 28, Zefa (haut et bas gauche),
Office national français du tourisme (bas droite).

L'édition originale de cet ouvrage
a paru sous le titre : *An Abbey*
Copyright © illustrations 1978 by
Grisewood & Dempsey Ltd, London

Adaptation française de S. Lecomte
Copyright © texte 1981 by
Les Éditions École Active, Montréal
Dépôt légal, Ottawa, 1er trimestre 1981
Dépôt légal, Bibliothèque Nationale,
Montréal, 1er trimestre 1981
Cette édition ne peut être vendue
qu'au Canada

ISBN 2-89069-061-X
ISBN 2-7130-0445-4
(édition originale : ISBN 0 09 128680 8)

Printed in Hong Kong
by South China Printing Co.

Sommaire

△ *Ce cloître paisible du 12ᵉ siècle est celui du monastère d'Elne, dans les Pyrénées. Comme au Moyen Age, les moines d'aujourd'hui constituent une communauté de prière, de travail et d'étude, à la gloire de Dieu.*

▷ *Peinture médiévale représentant des moines dans le* scriptorium, *la « salle d'écriture » où ils recopiaient les manuscrits à la main. Ils « enluminaient » souvent leurs livres de peintures merveilleuses. A une certaine époque, ils furent parmi les rares personnes à savoir lire et écrire. Aussi les monastères devinrent des centres culturels. De nos jours, certains perpétuent cette tradition, par l'enseignement, l'édition ou la recherche.*

Qu'est-ce qu'une abbaye ?

Depuis très longtemps, il existe des hommes et des femmes qui se détournent de la routine quotidienne pour mener une vie de prière et de travail au service de Dieu. Jadis, ces religieux vivaient en ermites. Mais, dès le 4ᵉ siècle, les ermites et tous ceux qui se consacraient à Dieu commencèrent à se rassembler en communautés. Leur vie était simple. Ils ne possédaient rien, travaillaient dur, priaient chaque jour pendant des heures et obéissaient aux règles sévères de leur communauté : c'était, en général, une existence rude et pénible. Mais, ils voulaient ainsi répondre aux désirs divins et, par leurs prières et leur dévotion, aider le monde à se libérer des puissances du mal.

Il y avait, et il y a encore, des ordres religieux très divers. Chacun d'eux suit la règle monastique établie par son fondateur. Celle-ci était généralement basée sur la *Règle* édictée par saint Benoît de Nursie vers l'an 540 : elle imposait un programme quotidien de prières, de rudes travaux et d'étude. Les moines vivaient en commun dans un bâtiment appelé monastère. Quand le monastère était dirigé par un abbé, il se nommait aussi abbaye.

En dehors de l'abbaye, une part assez importante de la vie religieuse était consacrée au service des autres. Les moines contribuèrent au développement de la peinture, de la musique et de l'écriture, de même qu'ils fondèrent des bibliothèques, des hôpitaux, des écoles et des hôtelleries pour les voyageurs.

Ce livre montre la vie et le travail habituels d'une communauté monastique au Moyen Age dans une abbaye européenne.

Une abbaye type

Quand un jeune novice, entrant dans la vie monastique, prenait l'habit, c'est-à-dire le vêtement des religieux, on priait pour que sa vocation fût sincère. Dans le cadre de sa nouvelle demeure, l'importance de l'église abbatiale (1) rappelait sans cesse au novice qu'il se consacrait à Dieu. Cette image montre une abbaye bénédictine typique du 15e siècle. A quelques détails près, les monastères bénédictins étaient bâtis sur le même plan dans toute l'Europe. Près de l'église se trouvait le cloître (2) où les moines se promenaient, étudiaient et méditaient. Entouré par les autres bâtiments, le cloître donnait sur un enclos, sorte de jardin fermé qui rappelait aux moines l'obligation de se tourner vers la vie intérieure et non vers le monde extérieur.

Saint Benoît avait établi dans sa règle que les bâtiments de la communauté abriteraient tout ce qui était nécessaire à la vie religieuse. Aussi l'abbaye se composait-elle de différentes parties. Le réfectoire, ou salle à manger (3), était construit près de la cuisine (4) et du chauffoir (5), la seule pièce, hormis la cuisine, où les moines pouvaient faire du feu dans l'abbaye glaciale.

Le dortoir (6) se trouvait à l'étage supérieur, à l'est du cloître. Au-dessous du dortoir, il y avait un parloir (7) où les moines pouvaient accueillir les visiteurs et converser avec eux. Près du parloir, la communauté se réunissait chaque matin dans la salle capitulaire (8) pour discuter des affaires de l'abbaye.

De l'autre côté du cloître, à l'ouest, c'était le domaine du cellérier (économe) (9), qui comprenait un entrepôt pour les denrées alimentaires et des chambres pour les frères convers. Dans les grandes abbayes, où il fallait nourrir parfois des centaines de personnes, moines et visiteurs, le cellérier avait une fonction très importante. Selon saint Benoît, le moine choisi pour cette tâche ne devait pas être un gros mangeur.

▽ Par la porte principale de l'abbaye (10), de nombreux visiteurs accédaient chaque jour à la grande cour (14). Les pauvres venaient à l'aumônerie (11) chercher une aumône, soit de la nourriture ou des vêtements ; les visiteurs de marque rendaient visite à l'abbé dans sa maison (13) ; les voyageurs s'abritaient dans l'hôtellerie (12) tandis que leurs chevaux étaient mis à l'écurie (17) où on leur donnait du foin de la grange (15). Dans la brasserie et la boulangerie (16), on faisait de la bière et du pain en supplément pour les voyageurs.

Une économie fermée

Les moines tiraient leur subsistance des fermes voisines que possédait l'abbaye. Il y avait aussi un potager et un étang poissonneux. Les moines cultivaient encore un jardin d'herbes médicinales, pour préparer des potions et des onguents.

La plupart des abbayes avaient de l'eau courante et des égouts. L'eau potable était recueillie en amont d'une rivière pour la cuisine, la boulangerie, la brasserie et le lavoir (l'endroit du cloître où les moines faisaient leurs ablutions). Les eaux sales et les ordures des cabinets d'aisances (19) s'écoulaient en aval.

▷ On prenait soin des moines âgés et malades dans une infirmerie (18). A leur mort, on les enterrait près de l'église, à côté de la communauté qu'ils avaient servie toute leur vie.

L'église abbatiale

△ Plan d'une église abbatiale. Elle était traditionnellement construite en direction de l'orient et de la Terre sainte. L'autel se trouvait donc à l'extrémité est.

Le déambulatoire (5) joignait les deux nefs latérales au chevet de l'église (derrière le chœur). Le long du déambulatoire et dans les transepts (6 et 7) du nord et du sud, il y avait de nombreuses petites chapelles. Les moines y disaient la messe en privé et y priaient pour l'âme de ceux qui avaient donné de l'argent ou des terres à l'abbaye. On y trouvait parfois une châsse contenant les ossements d'un saint, près de laquelle les pèlerins venaient prier et demander pardon de leurs fautes.

La superbe église abbatiale exprimait le désir de chaque moine d'honorer Dieu. Ses flèches montaient vers le ciel et sa construction avait la forme d'une croix, symbole du christianisme. Sept fois par jour, à heures régulières, les moines y entraient en rangs pour l'office. Ils se rassemblaient dans le chœur (1) devant des sièges appelés stalles, par ordre d'ancienneté et en se faisant face. Ils y entendaient la messe célébrée au maître-autel, écoutaient des lectures, chantaient des psaumes et des prières.

La partie est de l'église était réservée aux moines. Elle était entourée par des panneaux de bois et séparée de la nef (2) par un ou deux écrans de bois ou de pierre. Ceux séparant le chœur de la nef formèrent une tribune, le jubé.

La nef était laissée aux laïcs, gens de l'extérieur qui entraient par la grande porte ouest (3). Ils n'avaient pour s'asseoir que les bancs de pierre établis dans les nefs latérales (4), de chaque côté de la nef principale. La plupart restaient debout ou à genoux.

▷ La grande porte ouest était l'entrée des laïcs. Les moines l'utilisaient le dimanche et certains jours de fête, après la procession autour de l'église.

▽ Quand les nouveaux principes architecturaux permirent de mettre de larges fenêtres aux églises, le grand vitrail derrière le chœur (10), éclairant l'intérieur d'une lumière supraterrestre, devint la caractéristique des grandes églises abbatiales.

Passages spéciaux

Contrairement aux transepts symétriques des autres églises, le transept sud d'une église abbatiale se prolongeait par un passage (8) menant aux bâtiments d'habitation et à la salle capitulaire (9). Pour les offices nocturnes, les moines avaient un escalier direct menant du dortoir à ce passage (p. 17).

△ *Encensoir dans lequel une résine aromatique, de l'encens, se consumait sur des charbons ardents. La fumée qui s'en échappait était le symbole de l'adoration et de la prière montant vers Dieu.*

△ *Reliquaire où l'on conservait un morceau de vêtement ou des ossements d'un saint.*

▷ *Crosse d'abbé. Elle avait la forme d'une houlette de berger et rappelait à l'abbé qu'il était le pasteur des moines.*

△ *Le calice est une coupe contenant le vin consacré pendant la messe.*

△ *La mitre, coiffure de cérémonie de l'abbé.*

Moines en prière

Suivant les directives de saint Benoît, la journée du moine se passait à prier et à travailler. Les horaires d'un monastère variaient selon les ordres religieux et les saisons. La journée commençait habituellement à deux heures du matin, avec les premières parties de l'office appelées *matines* (prières matinales) et *laudes* (louanges). Les moines devaient se lever très vite (c'est une des raisons pour lesquelles ils dormaient tout habillés) et ils passaient une heure environ à prier et à chanter des psaumes ; tout l'office était dit ou chanté en latin. Puis ils retournaient au lit, et redescendaient à l'église à l'aube pour l'office de *prime* (première heure). Ils pouvaient alors prendre un léger repas.

Pendant la journée, les moines continuaient l'office divin à heures régulières. On nommait ces prières : *tierce* (troisième heure), *sexte* (sixième heure), *none* (neuvième heure) et *vêpres* (soir). Le souper était suivi des *complies* (prières de nuit). A sept heures du soir environ, les moines allaient se coucher.

Les célébrations quotidiennes les plus importantes étaient la messe du chapitre — qui suivait le repas du matin et à l'issue de laquelle les moines se rendaient à la salle capitulaire (voir p. 14) — et la grand-messe vers onze heures du matin. L'image ci-contre montre l'abbé pénétrant dans le chœur pour célébrer cette messe. Le thuriféraire, ou porteur d'encensoir, conduit la procession. Il est suivi d'un porteur de croix encadré par deux acolytes qui tiennent des cierges. Deux autres moines assistent l'abbé pendant la messe.

▷ *Une bible manuscrite et enluminée (décorée à la main).*

◁ *Une miséricorde, la saillie de bois placée sous l'abattant d'une stalle, où le moine, fatigué d'être debout pendant les longs offices, pouvait s'appuyer pour se reposer.*

La salle capitulaire

Chaque matin, après la messe du chapitre (voir p. 12), les moines se rendaient à la salle capitulaire, qui servait à l'abbaye de cour de justice et de lieu d'assemblée. Ils s'asseyaient sur des bancs de pierre, le long des murs. Installé à un pupitre, au milieu de la pièce, un moine ouvrait la réunion par une lecture tirée de la vie des saints du jour et par un chapitre de la règle de l'ordre. Ce « chapitre » donna son nom à l'assemblée et à la salle « capitulaire ».

Puis les moines s'occupaient des affaires de la journée et discutaient des problèmes qui se posaient à l'abbaye : achat de terres, réparations, attribution des tâches aux moines. A tour de rôle, chaque moine pouvait exprimer son opinion et l'on votait à main levée.

Ensuite, chacun confessait ses fautes extérieures. Un moine coupable de faute légère, par exemple marcher et parler dans le jardin après les complies, pouvait être condamné au pain et à l'eau pour deux jours ou recevoir aussitôt les verges. Pour des fautes plus graves, le coupable pouvait être mis à l'écart ou même chassé de l'abbaye.

L'assemblée du chapitre se terminait par des prières pour les morts.

△ Assemblée dans la salle capitulaire. L'abbé qui la présidait était installé sur un siège spécial (à droite). La réunion durait une heure environ. Les dimensions de cette salle montrent la grandeur de certaines abbayes. Comme des hommes d'affaires, les moines devaient équilibrer leur budget entre les recettes, tirées des terres et des revenus ecclésiastiques, et les dépenses : gages, nourriture, entretien des hôtes, etc.

▷ *La salle capitulaire constituait parfois un bâtiment à part. L'architecture polygonale, à plusieurs côtés, que l'on voit ici était typique des abbayes anglaises. La décoration de ses vitraux et de ses pierres en faisait une des plus belles constructions de l'abbaye.*

Les fonctions dans l'abbaye

De nombreux administrateurs, appelés obédienciers, aidaient l'abbé dans sa tâche. Le maître de chapelle organisait les services religieux et s'occupait des livres, tandis que le sacristain veillait sur les trésors de l'église. Le cellérier s'occupait des approvisionnements en vivres, tandis que le cuisinier, le réfectorier et les semainiers organisaient les repas. L'aumônier avait la charge des pauvres venant à l'abbaye, et l'hospitalier celle des moines âgés et malades. Le chambellan, chargé du vêtement et de la literie des moines, veillait aussi à ce qu'ils soient rasés chaque semaine et se baignent quatre ou cinq fois l'an.

▽ *L'abbé, dans sa maison confortable, dicte une lettre à son secrétaire personnel, le moine chapelain, qui l'assiste aussi pendant la messe et les offices. Quand un abbé mourait, tous les moines votaient pour choisir son successeur.*

L'abbé

Dans les premiers petits monastères, l'abbé vivait avec ses moines, mangeant au réfectoire et couchant au dortoir. Mais à mesure que les abbayes s'agrandissaient et s'enrichissaient, leur abbé devint socialement un homme important. Comme il devait accueillir des visiteurs de marque (parfois le roi lui-même), il fut obligé d'avoir un domicile privé. Il faisait souvent des voyages d'affaires. Sous la féodalité, comme suzerain des terres voisines, il eut aussi à fournir des chevaliers pour le service du roi.

Le dortoir et
le chauffoir

Les moines dormaient dans le dortoir commun qui occupait la plus grande partie du premier étage des bâtiments situés à l'est du cloître. L'image nous montre le dortoir d'un des premiers monastères ; plus tard, on sépara les lits par des cloisons de bois pour que chaque moine ait son alcôve.

Vers deux heures du matin, le prieur parcourait le dortoir en agitant une clochette au pied des lits, afin de tirer les moines du sommeil pour le premier office du jour. Les yeux embrumés, ils suivaient un porteur de lanterne jusqu'à la porte du dortoir, et descendaient l'escalier de nuit qui les menait directement dans l'église (voir l'illustration de droite). Par grand froid, ils pouvaient porter des bottes fourrées, afin de supporter la température glaciale de l'église.

L'office de nuit pouvait durer deux heures, et pendant ce temps le *circator* circulait dans le chœur avec une lanterne, pour voir si personne ne s'endormait. Après l'office, il arrivait aux moines de rester à l'église jusqu'à l'aube, mais habituellement ils retournaient au dortoir pour quelques heures de sommeil supplémentaire. A l'aube, une cloche les éveillait à nouveau. Cette fois, ils enfilaient leur habit de jour et leurs sandales, avant de descendre du dortoir au cloître en empruntant l'escalier de jour (voir pages 20 et 21).

△ On peut voir, sous le dortoir, des moines devant les cheminées du chauffoir, la seule salle chauffée en hiver, à part la cuisine. La pièce voisine est le parloir intérieur (le local réservé à la conversation), où les religieux pouvaient parler entre eux si nécessaire. Il y avait généralement un parloir extérieur de l'autre côté du cloître (près de l'entrée principale), où les moines pouvaient recevoir des visiteurs. Mais, dans les petites abbayes, le parloir intérieur servait aux deux usages. La porte, à droite, ouvre sur un corridor conduisant au cimetière. A gauche du dortoir se trouvent les cabinets d'aisances, ou necessarium. Ils sont construits au-dessus de l'égout principal, où les déjections tombent directement.

△ Le réfectoire ou salle à manger. Les moines servant le repas mangeaient plus tard.

▽ Le lavatorium ou lavoir, où les moines se lavaient les mains et le visage avant les repas.

Le réfectoire

Les moines prenaient leurs repas en commun dans le réfectoire. La journée commençait à deux heures du matin environ, mais le repas principal, qui était souvent l'unique repas, n'était servi que 12 heures plus tard. Aussi les religieux devaient-ils être toujours ravis d'entendre sonner la cloche du réfectoire.

Auparavant, ils se lavaient les mains dans le lavoir (voir l'image de gauche), puis ils allaient en rangs prendre calmement leur place à table. Ils n'avaient pas le droit de parler pendant le repas et, quand ils désiraient quelque chose, ils le demandaient par signes.

L'abbé mangeait habituellement seul dans son domicile, mais le prieur et d'autres moines occupant des fonctions importantes prenaient leur repas à la table d'honneur du réfectoire. On peut voir cette table dressée sur une estrade au fond de la pièce. Dès que chacun était à sa place, le religieux qui présidait agitait une cloche, et les moines chantaient le bénédicité. Puis ils pouvaient s'asseoir et manger. Pendant tout le repas, un des moines faisait la lecture d'un passage de la Bible ou d'un livre de piété. Pour que tous pussent l'entendre, il s'installait dans une chaire, à laquelle il accédait par un escalier creusé dans le mur (voir p. 18).

△ *La cuisine de l'abbaye était généralement proche du réfectoire, mais cependant pas trop, car ses bruits auraient distrait les moines. A côté se trouvaient la boulangerie, le garde-manger (où l'on mettait le pain et les provisions), la brasserie (où l'on faisait de la bière et parfois du vin) et le cellier (où l'on gardait les boissons au frais). Il y avait de l'eau courante pour la cuisine et la vaisselle.*

L'alimentation des moines

Saint Benoît écrivit dans sa règle que les moines ne devaient pas manger de viande : dans les temps anciens, leur repas principal se composait de pain, de soupe, de poissons, d'œufs, de pois ou de haricots, et peut-être de fromage ou de fruits, le tout accompagné de bière ou de vin. Mais la plupart des abbés disaient qu'il n'avait pas interdit la chair des oiseaux. Aussi, dans beaucoup d'abbayes, les moines mangeaient des poulets, oies, pigeons et cygnes. Pour les grandes fêtes, ils avaient un plat de plus, offert par un bienfaiteur de l'abbaye. Ce pouvait être du porc, frais ou fumé, ou un autre mets fin de ce genre.